Les Bidochon 1

BINET

Binet

les

Bidochon

1

Roman d'amour

Réservé aux "NON-MARIES"

Savez-vous qu'il existe une méthode – très simple – qui donne des résultats étonnants en facilitant les rencontres et en multipliant considérablement les chances de succès ?

En quelques jours, vous pouvez entrer en relations avec des célibataires, veufs ou veuves répondant à vos désirs, de la situation, de la ou des régions et de l'âge que vous souhaitez (de 18 à 75 ans).

Vous avez l'avantage de connaître à l'avance les goûts et les idées de chaque personne, ce qui permet de choisir aisément, dans une liberté absolue, l'être qui vous convient parfaitement.

Le ▬▬▬ (fondé en 1951) met à votre disposition une organisation moderne, de renommée internationale, dont les résultats prouvent son efficacité : plus de 42.000 références (visibles au bureau) ont été constatées officiellement par huissier en 1975, résultats dont aucune autre organisation en France ne peut se prévaloir (l'importance, la qualité et le sérieux d'une agence sont proportionnels à ses références).

Vous pouvez – vous aussi – bénéficier de cette méthode pour rencontrer votre idéal. Si vous comptez sur la providence, vous risquez d'attendre des années... ou même toute votre vie... alors que faire connaissance par le ▬▬▬ est très simple et aussi romantique qu'une rencontre de hasard.

Il suffit d'envoyer vos nom, âge et adresse au ▬▬▬ pour recevoir gratuitement, sous pli discret, et sans aucun engagement de votre part, une passionnante documentation avec la brochure illustrée (68 pages) "La Source du Bonheur" qui vous donnera tous renseignements pour entrer facilement et rapidement en relations.

Ce sera le départ d'une vie nouvelle qui peut vous apporter l'immense et émouvant bonheur de vous sentir "bien à deux".

Adaptation graphique de Sylvie MOCAER.
© Binet-Audie
© 1986 Editions J'ai lu pour la présente édition

CHAPITRE 1
dix ans ...

dix ans que Raymonde, réveillée la première, se tape la corvée du café, pendant que Robert fait semblant de dormir...

lit ↗

7

dix
ans...

← siège

dix ans...

lavabo →

ouais, dix ans...

DIX ANS DE MÉTIER À ME FAIRE CHIER AVEC LES DÉCORS. MAIS, JE CROIS AVOIR ENFIN RÉ. SOLU CE PROBLÈME...

JE METS DES FLÈCHES!

REMARQUEZ, SI JE VEUX, JE PEUX EN DESSINER DES DÉCORS, ET DES CHIADÉS, MÊME!

MAIS, JE PRÉFÈRE LA SUGGESTION. (LA SUGGESTION, ÇA VA BEAUCOUP PLUS VITE À DESSINER. C'EST ÇA QUE J'AIME DANS LA SUGGESTION.)

donc, dix ans... dix ans, depuis le jour où la photo fossile du mariage a pris sa place sur le bahut laqué de la salle à manger.

C'EST À LA MORT DE MA MÈRE QUE J'AI PRIS CONSCIENCE QUE J'ÉTAIS TOUJOURS JEUNE FILLE!

bahut laqué

TSS, QUELLE SPLENDEUR! DIRAIT-ON JAMAIS QUE J'AI L'ÂGE QUE J'AI!

salle de bain

REGARDEZ-MOI ÇA, SI C'EST BEAU UN TÉTON DE VIERGE!

11

ET ÇA!

ET ÇA! COMMENT DE TELLES MERVEILLES, QUI SONT AUTANT D'INCITATIONS AUX PLAISIRS DE LA CHAIR, ONT-ELLES PU RESTER SI LONGTEMPS IGNORÉES?

LE LENDEMAIN, JE ME SUIS ADRESSÉ À UNE AGENCE MATRIMONIALE!

J'AI DÉCIDÉ DE FAIRE PROFITER DE MES CHARMES À UN HOMME!

COMME JE VOUS COMPRENDS, ET COMME J'ENVIE DÉJÀ CET HOMME!

fauteuil

bureau

chaise

QUEL GENRE D'HOMME SOUHAITEZ-VOUS? AVEZ-VOUS DÉJÀ RÉFLÉCHI À LA QUESTION?

OUIISSSSS

J'EN VEUX UN QUI SOIT BEAU, JEUNE, RICHE ET INTELLIGENT!

C'EST TOUT!

PARFAIT! PARFAIT! JUSTEMENT, NOUS AVONS CE QUE VOUS CHERCHEZ!

CAR, C'ÉTAIT LUI...

Robert Bidochon

JE DÉCIDAI DE LUI RÉPONDRE SUR LE CHAMP!

Monsieur...

table

chaise

puisque vous serez à la gare Saint Lazare, j'y serai aussi. (Voyez comme une coïncidence peut tomber à pic comme une merveille.) Vous me reconnaîtrez également à ce que j'aurai un jambonneau dans la main droite. Votre aussi dévouée...

CAR, C'ÉTAIT ELLE...

Raymonde
Galopin

AU JOUR DIT, JE ME RENDIS DANS LA SALLE DES PAS PERDUS DE LA GARE SAINT-LAZARE. IL Y AVAIT UN MONDE FOU!

monde fou ↓

monde fou ↓

monde fou ↓

ALORS, IL A DIT: "avec un arrosoir dans la main"...

monde fou ↓

monde fou ↓

monde fou ↑

22

MAIS IL ME SEMBLE QUE POUR UNE PREMIÈRE RENCONTRE, TU AURAIS PU T'INTÉRESSER À MOI, À MA VIE...

MOI, QUAND JE BOUFFE, JE BOUFFE! J'AI PAS ENVIE DE CAUSER!

AH, OUI, ÇA, TU BOUFFAIS! TU BOUFFAIS TELLEMENT QUE T'AVAIS LE NEZ DANS TES SARDINES/POMMES VAPEUR! JE ME DEMANDE À QUOI ELLE TE SERVAIT, TA DISTRACTION!

J'ENTENDAIS LES BRUITS! C'EST PAREIL!

TU PARLES! TU FAISAIS UN TEL BOUCAN EN MANGEANT, QUE LES GENS QUI PASSAIENT AVEC LEURS VALOCHES, PRENAIENT DES AIRS DE MIME MARCEAU!

NE L'ÉCOUTEZ PAS, C'EST UNE MENTEUSE!

ET IL EN FAISAIT UN BRUIT! MOI, JE PENSAIS...

UN QUI SOIT BEAU, JEUNE, RICHE, INTELLIGENT ET QUI MANGE PROPREMENT !

LA ! LA ! COMME VOUS Y ALLEZ, CHÈRE MADEMOISELLE GALOPIN ! VOUS NOUS LES USEZ !

VOUS EN AVIEZ UN QUI S'INTÉRESSAIT A VOUS, ET VOUS LE LAISSEZ PARTIR...

Clic Clic

SI VOUS CROYEZ QUE NOUS POUVONS FOURNIR, COMME ÇA, DES HOMMES SUR MESURE !

CAR, ENFIN, IL FAUT ÊTRE RÉALISTE ! CERTES, VOS ATTRAITS SONT ENCORE VIVACES, MAIS IL FAUT BIEN VOUS RENDRE COMPTE QUE VOTRE AGE... MÛR, HEU... NE VOUS PERMET PLUS D'AVOIR AUTANT D'EXIGENCE QU'UNE JEUNE OISELLE, BEAUCOUP MOINS RICHE DE L'EXPÉRIENCE DE LA VIE, CERTES, MAIS JEUNE QUAND MÊME !

27

28

CHAPITRE 2

le plus beau jour de leur vie———

MADAME, MONSIEUR, CONFORMÉMENT À LA LOI, JE VAIS VOUS DONNER LECTURE DES ARTICLES 212, 213, 214 ET 215 DU CODE CIVIL:

ARTICLE 212: les époux se doivent mutuellement fidélité, secours, assistance.

MADAME RAYMONDE, JEANNE, MARTINE GALOPIN, CONSENTEZ-VOUS À PRENDRE POUR ÉPOUX MONSIEUR ROBERT, EUGÈNE, LOUIS BIDOCHON, ICI PRÉSENT ?

AU NOM DE LA LOI, NOUS VOUS DÉCLARONS UNIS PAR LE MARIAGE.

AVEC NOS TÉMOINS, RENÉ ET GISÈLLE, ON A ÉTÉ BOUFFER! ON AVAIT RETENU UNE TABLE DE QUATRE AU "RESTAURANT-BAR DE LA PÉTANQUE!"

AVANCEZ! AVANCEZ! JE VOUS AI MIS AU FOND, VOUS SEREZ PLUS TRANQUILLES!

"LA MARIÉE SANS SOULIERS QU'A LA CROTTE AU BOUT DU NEZ"

P'TIT CON!

LE MENU ÉTAIT BIEN, ÇA, FAUT LE RECONNAÎTRE! JE ME SOUVIENS, Y AVAIT DES LANGOUSTINES EN ENTRÉE

43

44

45

47

DÎTES TOUT DE SUITE QUE ÇA LES VAUT PAS, ESPÈCE DE MUFLE!!

AH, VOUS POUVEZ ÊTRE FIER DE VOUS!

VOUS, MÊLEZ-VOUS DE VOS OIGNONS!

RÉSULTAT: GISÈLE FAISAIT LA GUEULE À ROBERT, ROBERT À RENÉ ET RENÉ À MOI! BELLE JOURNÉE!

LE SOIR, ON S'EST RETROUVÉS, TOUS LES DEUX, DANS UNE CHAMBRE D'HÔTEL QU'ON AVAIT RÉSERVÉE, POUR TENTER D'EFFACER L'AMERTUME DE CETTE JOURNÉE PAR UNE NUIT D'AMOUR... MA PREMIÈRE NUIT D'AMOUR!

EN TOUS CAS, MOI, J'AI TROUVÉ QUE LES LANGOUSTINES ELLES ÉTAIENT BONNES! UN PEU LOURDES... PEUT-ÊTRE, MAIS BONNES!

VOUS VOUS EN FOUTEZ?

AH BON!

BEN.... JE RÉPÈTE !

TU QUOI ??

J'AI LU ÇA DANS UN BOUQUIN ! QUAND ON FAIT L'AMOUR, LA FEMME SORT TOUJOURS UN TAS DE CONNERIES COMME ÇA !

JE VOULAIS PAS ARRIVER DEVANT TOI COMME UNE OIE BLANCHE ! JE VOULAIS QUE LE SOIR DE TES NOCES TU AIES DEVANT TOI UNE FEMME EXPÉRIMENTÉE DES CHOSES DE L'AMOUR !!

VIERGE, D'ACCORD, MAIS EXPÉRIMENTÉE !

53

BON, FAUTE DE MIEUX!

ALLEZ, EN SELLE!

NAN! PAS SUR LE VENTRE!

DE CET INSTANT, JE CONSERVE LE SOUVENIR D'UN LONG JET, CHAUD ET VISQUEUX...

AH, BEN, C'EST TA FAUTE! JE T'AVAIS DIT DE PAS M'APPUYER SUR LE BIDE!

CHAPITRE 3
voyage de noce

C'EST ROBERT QUI A EU L'IDÉE D'ALLER PASSER NOTRE VOYAGE DE NOCE CHEZ SES PARENTS!

NORMAL! D'UNE PREMIÈRE PART, ÇA FAISAIT DES ÉCONOMIES, ET D'UNE DEUXIÈME PART, MAMAN CHÉRIE TE CONNAISSAIT PAS, FALLAIT BIEN QU'ELLE TE CONNAISSE!

TU VAS VOIR COMME MAMAN CHÉRIE EST UNE FEMME DÉLICIEUSE! TU VAS L'AIMER COMME JE L'AIME, ET ELLE, T'AIMERA COMME ELLE M'AIME! PARCE-QUE POUR M'AIMER, ÇA, ELLE M'AIME...

paysage →

Renault 4L →

61

JUSTEMENT! ÇA PROUVE QUE JE TE RACONTE PAS DES BOBARDS!

LES PARENTS DE ROBERT HABITAIENT SAINT AUVENT, UN PETIT VILLAGE DU LIMOUSIN. LA RÉGION EST TRÈS BELLE. ROBERT ARRÊTA LA VOITURE UN PEU AVANT D'ARRIVER POUR ME MONTRER UN PANORAMA. LA BEAUTÉ DU SITE NOUS RENDAIT MUETS...

entre deux collines mousues
d'un vert aux lourds reflets
mordorés, s'étalent, paisibles,
les toits bistres des maisons
    blanches. Une merveille!
    dommage que vous
    manquiez ça!

65

ET TOI, PAUVRE ENFANT, USÉ, HARASSÉ, MEURTRI...

MARTYR...

"...TU ACCOMPLIS TON CHEMIN DE CROIX AVEC ABNÉGATION, TANDIS QUE TES LÈVRES HURLENT DANS UN MURMURE: "SEIGNEUR, QUE TA VOLONTÉ SOIT FAITE!"

OOOH, MÔMAN, COMME C'EST BEAU!

OOOH, MÔM...

MADAME, LAISSEZ-MOI VOUS DIRE QUE...

TAISEZ-VOUS! SACHEZ, MA FILLE, QU'ICI, QUAND L'HOMME PARLE, SA FEMME SE TAIT!

POURTANT, MA BICHE, IL ME SEMBLE QUE...

69

ENFIN, QUOI, ROBERT, RÉAGIS, MERDE! JE SUIS TA FEMME!

HEU, EXCUSE-MOI, RAYMONDE, MAIS JE ME SENS PAS TRÈS BIEN...

MAIS, IL Y A UN INSTANT, QUAND ON EST ARRIVÉ, TU ÉTAIS EN PLEINE FORME!

ET ALORS? J'AI LE DROIT D'ÊTRE PAS EN PLEINE FORME! ON VOIT BIEN QUE C'EST PAS TOI QUI L'A MONTÉ, MON CALVAIRE!

PENDANT LES JOURS QUI ONT SUIVI, IL N'Y EN AVAIT PLUS QUE POUR ROBERT. LE VIEUX ET MOI, ONT COMPTAIT PLUS! ÇA NOUS A RAPPROCHÉS!

J'AI TOUJOURS ÉTÉ FRAPPÉE CHEZ LES VIEUX, PAR LA PRÉCISION DE LEURS GESTES! MAIS CHEZ MON BEAU-PÈRE, BIEN QUE S'ADONNANT À LA SCULPTURE SUR LÉGUMES DEPUIS DE NOMBREUSES ANNÉES, C'ÉTAIT EXACTEMENT LE CONTRAIRE!

ET ÇA, JE LUI AI JAMAIS PARDONNÉ!

ÇA FAIT 16 ANS QUE J'AI JURÉ DE ME VENGER!!

LE LENDEMAIN, MON BEAU-PÈRE S'ÉCROULAIT, FRAPPÉ D'HÉMIPLÉGIE. ON L'A EMMENÉ À L'HOSTO!

ALLER À L'HOPITAL! MAIS VOUS N'Y PENSEZ PAS, MA FILLE! JE NE PEUX PAS ÊTRE PARTOUT À LA FOIS, ET ROBERT N'A QUE MOI POUR LE SOIGNER, LUI!

RÉSULTAT. C'EST MOI QUI ME TAPAIS LES VISITES À L'HOSTO!

74

75

INFIRMIÈRE! INFIRMIÈRE! VIIIITE, IL EST MORT!!

VOILÀ, VOILÀ, J'ARRIVE!

EH BIEN, EH BIEN, QU'EST-CE QU'ON APPREND ? IL PARAÎT QU'ON EST MORT? ON A FAIT LE POLISSON...

DIVORCER! COMMENT ÇA, DIVORCER? TU DÉCONNES, OU QUOI?

JE VAIS ME GÊNER!

ALORS, TOI, TU FOUS L'ARGENT DU MÉNAGE PAR LES FENÊTRES, ET ALLEZ DONC! ÇA T'ES ÉGAL DE DILAPIDER L'ARGENT DE MON MÉNAGE PAR LA FENÊTRE!

MAIS DE QUOI EST-CE QUE TU PARLES??

MAIS DU FRIC QUE J'AI DÛ VERSER À L'AGENCE MATRIMONIALE POUR T'AVOIR!

ALORS, J'AURAIS VERSÉ DU FRIC POUR TOI, ET MAINTENANT, TU PARTIRAIS! MAIS, C'EST DU VOL, ET TOI, T'ES COMPLICE DE CE VOL! C'EST EXACTEMENT COMME SI J'AVAIS PAYÉ UNE CÔTELETTE AU BOUCHER ET QU'IL ME LA REPRENNE ENSUITE! C'EST POUR ÇA QUE C'EST DU VOL!!

NE T'ÉNERVE PAS, MON GARÇON, TU DÉMOLIS TA SANTÉ! LAISSE-LA PARTIR, ON A PAS BESOIN D'ELLE!

AH, PARDON, PARDON, MAMAN, MAIS J'AI INVESTI UNE PARTIE DE MON ARGENT DANS RAYMONDE, MOI, TU COMPRENDS!

TU T'ES FAIT AVOIR!

SI RAYMONDE S'EN VA, C'EST MON PATRIMOINE QUI PART AVEC ELLE!

MAIS, POURQUOI, POURQUOI AVOIR ENGLOUTI TES ÉCONOMIES DANS UN ACHAT AUSSI DISPENDIEUX, ALORS QUE TU M'AVAIS GRATUITEMENT, MOI!

81

82

buffet Henri 2

83

CHAPITRE 4
Le nid d'amour ————

89

ENTRE PARENTHÈSES, AU LIEU DE LE REGARDER FAIRE, T'AURAIS PU Y DIRE QUELQUE-CHOSE !

AH, TOI, T'AS UNE FAÇON DE REMERCIER LES GENS QUI TE RENDENT SERVICE !

PARCE QUE C'EST GRÂCE À LUI QU'ON L'A EUE, L'ADRESSE DE MADAME FROGER ! "VA VOIR MADAME FROGER" QU'IL M'A DIT...

..." DEPUIS QU'ELLE A ÉTÉ OBLIGÉE DE FERMER SA PENSION POUR JEUNES FILLES, ELLE A DES CHAMBRES À LOUER !"

JE DIS "ÉTAIT" PUISQU'ON M'A OBLIGÉE A FERMER MON ÉTABLISSEMENT ET A ME SÉPARER DE MES FILLES!

AH, ÇA N'EST PAS DE VOTRE PLEIN GRÉ QUE VOUS AVEZ FERMÉ VOTRE PENSIONNAT?

OH, NON, CHÈRE MADAME!

C'EST POURTANT DE CETTE FAÇON QUE L'ON M'A REMERCIÉE DE M'ÊTRE OCCUPÉE, DURANT TANT D'ANNÉES, DE LA SANTÉ CORPORELLE ET MORALE DE MES FILLES!

PAUVRE FEMME! COMME ON VOUS A FAIT SOUFFRIR!

LA VÉROLE, TENACE, QUI S'ACCROCHE ET VOUS RONGE! UNE VÉRITABLE ÉPIDÉMIE!

TOUS LES JOURS, MES BRAVES PETITES, CONFIANTES EN LA BONTÉ DIVINE, SE TREMPAIENT LES FESSES DANS DES BIDETS REMPLIS D'EAU MIRACULEUSE... MAIS, J'T'EN FOUS!

LES PARALYTIQUES, LES AVEUGLES, LES TOUT CE QUE VOUS VOUDREZ, ÇA, OUI, ON LES GUÉRIT, MAIS LES VÉROLÉS, FAUT CROIRE QUE C'EST PAS ASSEZ CHIC POUR FAIRE DES MIRACULÉS PRÉSENTABLES!

HÉ, ROBERT, PSSST, C'EST UN CLANDÉ! ON EST TOMBÉ DANS UN CLANDÉ!

C'ÉTAIT UN CLANDÉ! MAINTENANT, C'EST UN MEUBLÉ COMME LES AUTRES!

98

À PART TOI, RIEN, DANS CETTE PIÈCE, N'A CHANGÉ !

UN VRAI PETIT NID D'AMOUR POUR JEUNES MARIÉS, N'EST-CE PAS ?

POUR L'INSTANT, SEULEMENT DEUX AUTRES CHAMBRES SONT LOUÉES !

LA CHAMBRE JAPONAISE A UN COUPLE DE RETRAITÉS DE LA S.N.C.F, ET LA CHAMBRE MAUVE A MADEMOISELLE RIQUET, UNE INSTITUTRICE !

LES COMMODITÉS SONT AU FOND DU COULOIR. ELLES SONT COMMUNES AUX TROIS LOCATAIRES !

PREMIERS PAS PENDANT LESQUELS, J'EUS LE LOISIR DE CONSTATER QU'A L'EUPHORIE DE LA NOUVEAUTÉ SUCCÈDA L'HABITUDE DU QUOTIDIEN. DES JOURNÉES SANS SURPRISES OÙ LE NATUREL REPREND TRÈS VITE LE DESSUS.

AINSI, LES GROS EFFORTS CONSENTIS PAR ROBERT AU DÉBUT DE NOTRE MARIAGE, SE RELÂCHÈRENT PEU À PEU.

TU PEUX PARLER, TOI!

AH, BON! ET QU'EST-CE QUE TU AS À ME REPROCHER? J'AIMERAIS LE SAVOIR!

OOOH, ÇA, AU DÉBUT, TOUT NOUVEAU TOUT BEAU, MÔSSIEU FAISAIT ATTENTION! MÔSSIEU SE LEVAIT POUR FAIRE SON PÊT DANS LE VATER! MÔSSIEU PENSAIT À MOI! TANDIS QUE MAINTENANT...

JUSTEMENT! C'EST PARCEQUE JE PENSE A TOI QUE JE PÊTE AU LIT!

PARCE QUE, FIGURE-TOI QUE SI JE DEVAIS ME LEVER POUR ALLER PÊTER, C'EST 50 FOIS PAR NUIT QUE JE DEVRAIS LE FAIRE!

SI JE PÊTE AU LIT, C'EST UNIQUEMENT POUR PAS TE DÉRANGER! VOILÀ! ALORS, HEIN!

CHAPITRE 5
l'héritier

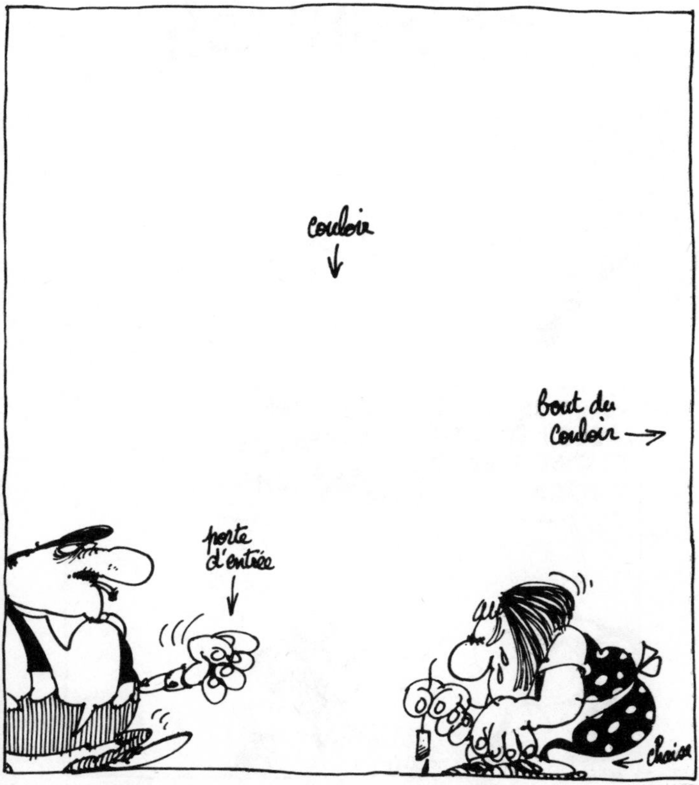
couloir
bout du couloir
porte d'entrée
chaise

119

VOUS M'AVEZ TOUT JUSTE POSTILLONNÉE DANS LE VAGIN! VOUS M'AVEZ CRACHOUILLÉE! VOILÀ LA VÉRITÉ!

EH BIEN, JUSTEMENT, C'EST ENCORE PIRE, PARCE QUE AVEC CES "CRACHOUILLIS" COMME TU DIS, T'AVAIS TOUTES LES CHANCES D'ÊTRE ENCEINTE!

JE VOIS, MA PETITE, QUE TU AS ENCORE BEAUCOUP À APPRENDRE DU MYSTÈRE DE MA VIE!

QUAND IL Y A DES ÉJACULATIONS, C'EST DES MILLIARDS DE SPERMATOZOÏDES QUI FOUTENT LE CAMP POUR SE RUER DANS TON BIDE!

JE SAIS!

DES MILLIARDS! COMME RENTRÉE DE WEEK-END, T'IMAGINES LE BOUCHON QUE ÇA FERAIT SUR L'AUTOROUTE! EH BIEN, COMME Y A UN BOUCHON, PLUS RIEN PEUT PASSER!

EST-CE QUE VOUS ÊTES RÉGLÉE RÉGULIÈREMENT, MADAME ?

OUI, DOCTEUR ! D'AILLEURS, ON A FAIT LA COURBE DE TEMPÉRATURE !

HMMM... BON, D'ACCORD, JE VOIS QUE VOUS AVEZ EU VOTRE RAPPORT, JUSTE LE JOUR DE L'OVULATION !

ENSUITE, LE DOCTEUR JOLY, IL M'A EXAMINÉ L'ORGANE DE L'INTÉRIEUR POUR SAVOIR SI J'ÉTAIS PAS UNE MALFORMÉE DE L'UTÉRUS, DES TROMPES ET DE TOUT LE TREMBLEMENT !

LÀ, J'AI POUSSÉ UN OUF DE SOULAGEMENT, PARCE QU'IL A RIEN TROUVÉ QUE DE LA SAINETÉ !

123

124

126

131

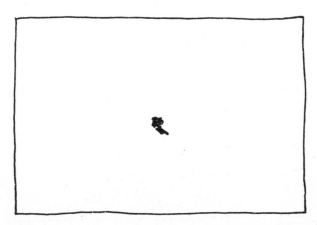

CHAPITRE 6
Kador

LA SCÈNE SE PASSE DANS UNE PARFUMERIE.
(D'AILLEURS, C'EST ÉCRIT ET J'AI MIS LA FLÈCHE.)

UN MONSIEUR ENTRE DANS LA BOUTIQUE.
C'EST ROBERT BIDOCHON, HÉROS BIEN CONNU
DE NOS LECTEURS.

138

141

143

144

145

146

MAIS, OUI, PRENDS UN CHIEN! AVEC UN CHIEN, TU AS TOUS LES AVANTAGES D'UN GOSSE, MAIS AVEC TOUS LES INCONVÉNIENTS EN MOINS!

UN CHIEN, ÇA BOUFFE LES RESTES, ÇA COUCHE DEHORS, ÇA VA CHIER TOUT SEUL SUR LE TROTTOIR, ET MÊME, SI TU VEUX, T'AS PAS À TE GÊNER À L'ABANDONNER SUR LE BORD DE LA ROUTE QUAND TU PARS EN VACANCES!

TANDIS, QU'ESSAYE UN PEU DE FAIRE TOUT ÇA AVEC UN GOSSE!

UN CHIEN, OUI, BIEN SÛR... MAIS SI TU AVAIS, COMME MOI DES TAS DE FIBRES MATERNELLES, TU SAURAIS QUE LES NEUF MOIS, AVANT, ÇA COMPTE!

MAIS, HÉ, QU'EST-CE QUI T'EMPÊCHE DE FAIRE PAREIL AVEC UN CHIEN!

HEIN?

MAIS, OUI! TU FAIS SEMBLANT! TU T'ACCROCHES UN OREILLER SUR LE VENTRE PENDANT NEUF MOIS, ET AU BOUT DES NEUF MOIS, JE FONCE A LA FOURRIÈRE TE CHERCHER UN CLEBS!

C'EST PAS UNE BONNE IDÉE, ÇA?

T'ES COMPLÈTEMENT FOU!

MAIS, NON, AU CONTRAIRE, JE TROUVE QUE MA BONNE IDÉE, C'EST UNE TRÈS BONNE IDÉE! ALLEZ! TIENS, FOUS-TOI CET OREILLER SOUS LA ROBE!

MAIS, FOUS-MOI LA PAIX!

ÉPILOGUE

Imprimé par Brodard et Taupin à la Flèche
le 12 novembre 1991 - **6881E-5**
Dépôt légal décembre 1991. ISBN 2-277-33004-3
1er dépôt légal dans la collection septembre 1986
Imprimé en Europe (France).

**J'ai lu BD / Éditions J'ai lu
27, rue Cassette 75006 Paris**

Diffusion France et étranger : Flammarion